Pyszne dania **z ryżem**

Kompleksowe przygotowanie publikacji
Olimp Media
www.olimpmedia.pl

Przepisy
Olimp Media

Redakcja
Małgorzata Durnowska

Korekta
Adriana Staniszewska

Projekt i realizacja graficzna
Natalia Królikowska

Zdjęcia
Fotolia, iStockphoto, Shutterstock

ISBN 978-83-274-5620-5

Firma Księgarska Olesiejuk Spółka z ograniczoną odpowiedzialnością Sp.j.
05-850 Ożarów Mazowiecki
ul. Poznańska 91

wydawnictwo@olesiejuk.pl
www.wydawnictwo-olesiejuk.pl
dystrybucja: www.olesiejuk.pl

Wydrukowano w UE

Wszystko o ryżu

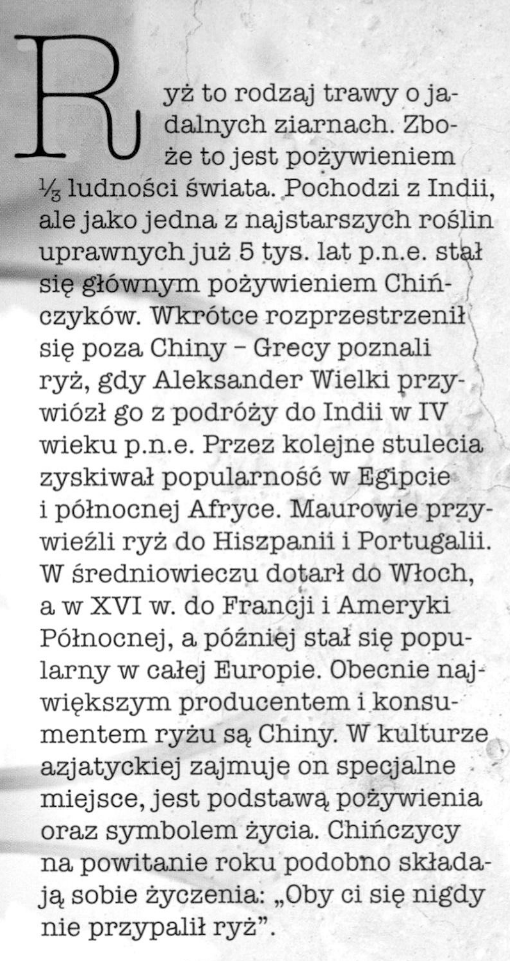

Ryż to rodzaj trawy o jadalnych ziarnach. Zboże to jest pożywieniem ⅓ ludności świata. Pochodzi z Indii, ale jako jedna z najstarszych roślin uprawnych już 5 tys. lat p.n.e. stał się głównym pożywieniem Chińczyków. Wkrótce rozprzestrzenił się poza Chiny – Grecy poznali ryż, gdy Aleksander Wielki przywiózł go z podróży do Indii w IV wieku p.n.e. Przez kolejne stulecia zyskiwał popularność w Egipcie i północnej Afryce. Maurowie przywieźli ryż do Hiszpanii i Portugalii. W średniowieczu dotarł do Włoch, a w XVI w. do Francji i Ameryki Północnej, a później stał się popularny w całej Europie. Obecnie największym producentem i konsumentem ryżu są Chiny. W kulturze azjatyckiej zajmuje on specjalne miejsce, jest podstawą pożywienia oraz symbolem życia. Chińczycy na powitanie roku podobno składają sobie życzenia: „Oby ci się nigdy nie przypalił ryż”.

Rodzaje ryżu

Na świecie występuje około 40 tysięcy odmian ryżu. Aby przygotować ryż do spożycia, oddziela się ziarno od łuski. Otrzymujemy w ten sposób ryż naturalny, brązowy. W celu uzyskania ryżu białego poddaje się go polerowaniu, wtedy zostaje usunięta otoczka. Jeżeli ryż został dodatkowo poddany obróbce termicznej, otrzymujemy ryż parboiled. Nie zawiera on otoczki, a złotawy kolor zawdzięcza minerałom i składnikom, które w trakcie obróbki przeniknęły z łuski do ziarna.

Ze względu na długość ziaren wyróżniamy trzy jego odmiany:

- długoziarnisty (długość ziaren powyżej 6 mm)
- średnioziarnisty (długość ziaren 5,2–6 mm)
- krótkoziarnisty (długość ziaren 5–5,2 mm).

Ryż długoziarnisty po ugotowaniu jest sypki i puszysty, o delikatnym smaku. Ryż średnioziarnisty po ugotowaniu staje się bardziej kleisty i wilgotny, o równie łagodnym smaku. Najbardziej aromatyczne i kleiste są ziarna ryżu krótkoziarnistego, które mają okrągły kształt i bardzo dobrze chłoną wodę. Po ugotowaniu zlepiają się i można je dowolnie formować.

Wartości odżywcze ryżu

Ryż dostarcza dużej ilości węglowodanów złożonych, podstawowego źródła energii dla organizmu. W 100 g ryżu białego znajduje się 365 kcal, brązowego – 370 kcal, a parboiled – 374 kcal. Ryż jest także źródłem błonnika, białka i tłuszczów wielonienasyconych. Wszystkie odmiany ryżu zawierają potas, magnez, fosfor, żelazo, cynk, mangan, miedź i selen oraz witaminy z grupy B (B_1, B_2, B_5, B_6, PP, kwas foliowy) i E, brakuje w nich natomiast witamin A i C. Dlatego do posiłku przyrządzonego z ryżu należy dodać inne produkty, by uzupełnić paletę witamin. Ryż jest lekkostrawnym, najłatwiej przyswajalnym przez nasz organizm zbożem. Korzystnie wpływa na trawienie, ma właściwości przeciwbiegunkowe, reguluje poziom cukru we krwi, obniża poziom cholesterolu i jest dobroczynny dla serca. Chętnie sięgają po niego sportowcy, gdyż po wysiłku muszą uzupełnić węglowodany w organizmie. Co więcej, w ryżu nie ma glutenu, dlatego mogą go jeść osoby nietolerujące tego białka.

Odmiany ryżu

Gatunki ryżu różnią się kształtem ziarna, smakiem, stopniem oczyszczenia, wartością odżywczą i zawartością skrobi. Od tego zależy sposób gotowania i zastosowanie kulinarne danego gatunku.

Ryż biały

To najpopularniejsza z odmian ryżu, ale najmniej wartościowa pod względem odżywczym. Podczas jego produkcji usuwa się z ziaren wierzchnie warstwy, w których znajduje się to, co w ryżu najcenniejsze, a więc witaminy, składniki mineralne oraz błonnik. Dzięki temu biały ryż jest delikatny w smaku i szybko się gotuje (10–20 minut). Ryż biały jest uniwersalny. Nadaje się zarówno do deserów, kleików, jak i dań obiadowych, podawany zamiast ziemniaków.

Arborio

Wywodzi się z Włoch, z Arborio, miejscowości położonej w regionie Piemont. Jego ziarna są krótkie i grube, po ugotowaniu sprężyste i dobrze się kleją. Ryż ten stosowany jest do przyrządzenia risotto oraz innych dań kuchni włoskiej. Można także go użyć do sushi. Doskonale nadaje się również do różnego typu ryżowych deserów.

Basmati

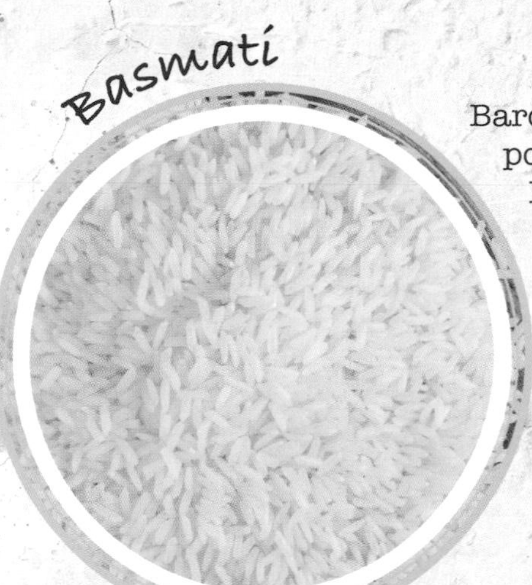

Bardzo aromatyczny ryż długoziarnisty, pochodzi z terenów u podnóży Himalajów. W sanskrycie jego nazwa oznacza „ten pachnący". Po ugotowaniu jego ziarna są sypkie, nie kleją się, sprawiają wrażenie puszystych i mają śnieżnobiały kolor. Ryż basmati idealnie komponuje się z rybami, owocami morza i drobiem.

Ryż brązowy

Ziarna ryżu brązowego (naturalnego) pozbawione są jedynie niejadalnej łuski, dzięki czemu jest produktem bardziej wartościowym niż ryż biały – zawiera więcej cennych składników mineralnych, ma również niższy indeks glikemiczny. Ryż brązowy ma specyficzny, odrobinę mocniejszy od białego smak i aromat. Wykorzystuje się go jako dodatek do dań obiadowych, potraw kuchni orientalnej, do farszów i sałatek.

Ryż jaśminowy

Pochodzi z Tajlandii. To rodzaj ryżu długoziarnistego o delikatnym kwiatowym aromacie i lekko orzechowym smaku. Ryż ten wykorzystuje się m.in. do przygotowywania deserów. Szczególnie dobrze komponuje się z egzotycznymi owocami czy mleczkiem kokosowym. Pasuje także do potraw słonych. Po ugotowaniu lekko się klei.

Parboiled

Długoziarnisty ryż parboiled jest poddawany działaniu pary wodnej (pod wysokim ciśnieniem), dzięki czemu część składników odżywczych z łuski przechodzi w głąb ziarna. Ryż ten jest bogatszy w składniki mineralne i witaminy, szczególnie te z grupy B, niż ryż biały. Nie klei się po ugotowaniu, jest sypki i puszysty. Dlatego pasuje do sałatek czy jako dodatek do dań mięsnych. Nie nadaje się do formowania.

Ryż dziki

Ryż dziki to nasiona północnoamerykańskiej trawy wodnej, świętego zboża Indian Omaha i Ojibwa. Zawiera znaczne ilości minerałów i witamin, a także bardzo dużo przeciwutleniaczy (antocyjany). Charakteryzuje się ciemnym kolorem, intensywnym smakiem (przypomina karczochy) i aromatem. Wykorzystuje się go głównie do dań orientalnych czy egzotycznych i jako składnik sałatek.

Ryż czarny

Ryż czarny w starożytnych Chinach przeznaczony był tylko dla cesarza, dlatego nazywany jest także ryżem zakazanym. Zawiera wiele przeciwutleniaczy oraz sporo witaminy E, zatem ma pozytywny wpływ na wygląd włosów, skóry i paznokci, redukuje objawy starzenia się, przeciwdziała nowotworom. W trakcie gotowania zyskuje fioletowy kolor oraz lekko orzechowy aromat. Ryż czarny wykorzystuje się najczęściej do dań z dziczyzny, drobiu i ryb. Gotujemy go 35–40 minut.

Japoński ryż do sushi

Jest to odmiana najbardziej odpowiednia do przyrządzenia sushi. Ryż ten jest bardzo aromatyczny, a jego ziarna doskonale się kleją, jednocześnie zachowując kształt. Ziarna ryżu do sushi najwyższej jakości będą niemal przezroczyste, równej wielkości, nie mogą być połamane.

Jak gotować ryż?

Przed gotowaniem ryż płuczemy zimną wodą do momentu, gdy zlewana woda stanie się czysta. Po wypłukaniu trzeba go osączyć. Ryżu parboiled nie musimy płukać.

Czas gotowania ryżu zależy od jego gatunku:
- biały ryż – 10–20 min
- ryż arborio, jaśminowy, basmati – 15–20 min
- ryż brązowy – 30–35 min
- ryż czarny – 35–40 min.

Proporcje składników:
- 1 szklanka ryżu
- 1¾–2 szklanki wody
- sól (ok. ¼ łyżeczki)

Wodę należy zagotować, osolić i wsypać ryż, następnie zmniejszyć ogień i przykryć garnek pokrywką. Gotować, aż ryż wchłonie wodę, a na jego powierzchni powstaną dziurki, którymi uchodzi para wodna. Po ugotowaniu odstawić garnek z ognia na 10 min.

Ryż do risotto przyrządzamy inaczej. Najpierw należy go podsmażyć, aż stanie się szklisty, następnie małymi porcjami dodawać płyn, najlepiej bulion. Kolejne porcje bulionu dodawać dopiero wtedy, gdy ryż wchłonie cały płyn. Gotować ok. 20 min.

DANIA Z WARZYWAMI

Risotto z kurkami

ok. 75 min stopień trudności

- 1 szklanka ryżu do risotto (22 dag)
- 30 dag kurek
- 2 szklanki bulionu
- ⅓ szklanki białego wina
- 1 cebula
- 2 łyżki masła
- sól, pieprz
- oliwa do smażenia
- natka pietruszki

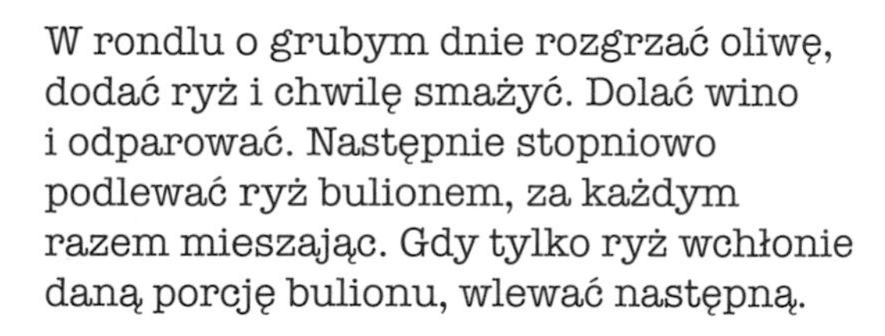

W rondlu o grubym dnie rozgrzać oliwę, dodać ryż i chwilę smażyć. Dolać wino i odparować. Następnie stopniowo podlewać ryż bulionem, za każdym razem mieszając. Gdy tylko ryż wchłonie daną porcję bulionu, wlewać następną.

Cebulę obrać i poszatkować. Kurki dokładnie umyć i pokroić. Na patelni rozpuścić masło, zeszklić na nim cebulę. Dodać kurki, dusić kilka minut, doprawić solą i pieprzem.

Wrzucić kurki do ryżu i wszystko delikatnie wymieszać. Dusić, aż cały bulionu odparuje, a ryż będzie odpowiednio miękki. Podawać na ciepło, udekorowany natką pietruszki.

Risotto ze szpinakiem

 **ok. 40 min** **stopień trudności**

- 1 szklanka ryżu do risotto (22 dag)
- 20 dag szpinaku
- 1 cebula dymka
- 1 duży ząbek czosnku
- 3 szklanki bulionu warzywnego
- 2 łyżki masła
- sól, czarny pieprz

Szpinak umyć, dokładnie osuszyć, drobno posiekać. Bulion zagotować i pozostawić na minimalnym ogniu, aby cały czas był gorący.

W rondlu rozgrzać 1 łyżkę masła, zeszklić na nim posiekane cebulę i czosnek. Wsypać ryż i smażyć ok. 3 min na małym ogniu, mieszając. Wlać 1 łyżkę wazową bulionu i gotować na małym ogniu, mieszając. Podlewać ryż pozostałym bulionem, dopiero gdy poprzednia jego porcja zostanie wchłonięta.

Kiedy risotto jest prawie gotowe, dodać szpinak, wymieszać, dusić, aż ryż całkiem dojdzie. Zdjąć rondel z ognia. Dodać resztę masła, wymieszać, doprawić solą i pieprzem.

Risotto z dynią

ok. 40 min stopień trudności

- 1 szklanka ryżu do risotto (22 dag)
- 40 dag miąższu dyni
- 1 l bulionu warzywnego
- 2 cebule
- 2 ząbki czosnku
- 3 łyżki oliwy
- szczypta szafranu
- sól, biały pieprz, ostra papryka

Miąższ dyni pokroić w kostkę o boku 1 cm. Cebule i czosnek obrać i posiekać. Bulion zagotować z szafranem i pozostawić na minimalnym ogniu, aby cały czas był gorący.

W rondlu z grubym dnem rozgrzać oliwę, zeszklić na niej cebulę z czosnkiem. Wsypać ryż, smażyć ok. 3 min na małym ogniu, mieszając. Dodać dynię i 1 łyżkę wazową bulionu, gotować ok. 20 min na małym ogniu, mieszając.

Podlewać ryż pozostałym bulionem, dopiero gdy poprzednia jego porcja zostanie wchłonięta. Kiedy ryż zmięknie, zdjąć rondel z ognia. Doprawić solą, pieprzem i ostrą papryką. Pozostawić pod przykryciem na 3–4 min.

Risotto z cytryną i miętą

ok. 40 min stopień trudności

- 1 szklanka ryżu do risotto (22 dag)
- 1 cytryna
- ½ szklanki listków mięty
- 3 szklanki bulionu warzywnego
- 1 szklanka białego wytrawnego wina w temp. pokojowej
- 3 łyżki oliwy
- 2 łyżki startego parmezanu
- sól, czarny pieprz

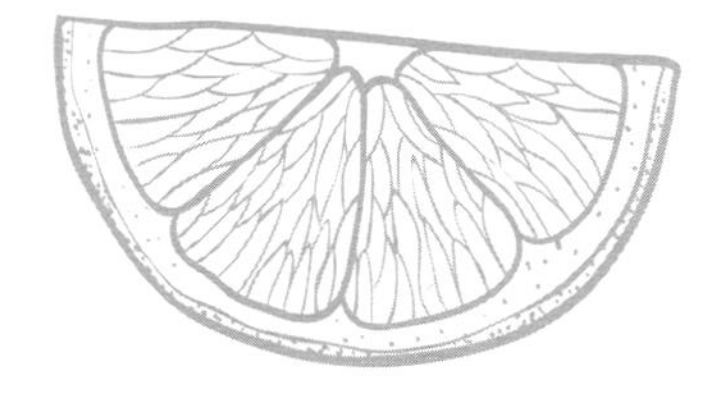

Cytrynę wyszorować w gorącej wodzie, zetrzeć z niej skórkę i wycisnąć sok. Listki mięty umyć, osuszyć, połowę odłożyć, resztę drobno posiekać. Bulion zagotować i pozostawić na minimalnym ogniu, aby cały czas był gorący.

W rondlu z grubym dnem rozgrzać oliwę, wrzucić ryż i smażyć 3-4 min na małym ogniu, mieszając, aż stanie się szklisty. Wlać wino, zamieszać. Gdy odparuje, dodać 1 łyżkę wazową bulionu, gotować ok. 20 min na małym ogniu, mieszając. Podlewać ryż pozostałym bulionem, dopiero gdy poprzednia jego porcja zostanie wchłonięta.

Kiedy ryż zmięknie, zdjąć rondel z ognia. Dodać skórkę i sok z cytryny, posiekaną miętę oraz parmezan, mieszać, aż się rozpuści. Doprawić solą i pieprzem, posypać listkami mięty.

Risotto z cukinią i groszkiem

ok. 45 min stopień trudności

- 1 szklanka ryżu do risotto (22 dag)
- 1 cukinia (ok. 30 dag)
- 15 dag mrożonego zielonego groszku
- 1 pomidor
- 1 cebula
- 2 ząbki czosnku
- 1 l bulionu warzywnego
- skórka starta z ½ cytryny
- 1 łyżeczka soku z cytryny
- 3 łyżki oliwy
- 2 łyżki masła
- 1 łyżka posiekanej natki pietruszki
- sól, czarny pieprz

Cukinię obrać, pokroić w kostkę. Pomidora sparzyć, obrać, pokroić w kostkę. Cebulę i czosnek obrać, posiekać. Bulion zagotować i pozostawić na minimalnym ogniu, aby cały czas był gorący.

W rondlu z grubym dnem rozgrzać oliwę, zeszklić na niej cebulę z czosnkiem. Wsypać ryż, smażyć 3-4 min na małym ogniu, aż stanie się szklisty. Dodać cukinię i 1 łyżkę wazową bulionu, wymieszać, gotować ok. 20 min, mieszając. Podlewać ryż pozostałym bulionem, dopiero gdy poprzednia jego porcja zostanie wchłonięta.

Po 10 min gotowania dodać groszek oraz pomidora. Kiedy ryż zmięknie, zdjąć rondel z ognia. Dodać masło, skórkę i sok z cytryny, mieszać, aż masło się rozpuści. Doprawić solą i pieprzem, posypać natką pietruszki.

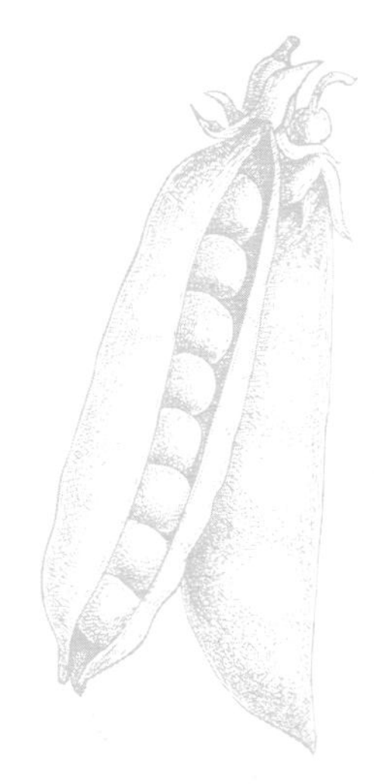

Pomidory z farszem ryżowym

ok. 1 godz.  stopień trudności

- 8 pomidorów
- 1 łyżeczka soku z cytryny
- tłuszcz do wysmarowania naczynia
- koperek do dekoracji

farsz:

- ¾ szklanki ryżu parboiled (15 dag)
- kilka cebul dymek
- 5 dag rodzynek
- 5 dag startego żółtego sera
- 2 łyżki oleju
- 1 łyżeczka kurkumy
- sól, czarny pieprz

Pomidory umyć, odkroić wierzch (2–3 cm), ostrożnie wydrążyć miąższ. Następnie ułożyć w wysmarowanym tłuszczem naczyniu.

Przyrządzić farsz. Ryż ugotować, wystudzić, wymieszać z rodzynkami, żółtym serem, solą, pieprzem i kurkumą. Cebule posiekać, podsmażyć na oleju, dodać do ryżu.

Pomidory napełnić farszem, skropić sokiem z cytryny. Piec 20–25 min w temp. 180°C. Przed podaniem udekorować koperkiem.

Papryki faszerowane ryżem

ok. 1 godz. stopień trudności

- 2 czerwone papryki
- 2 żółte papryki
- ½ szklanki bulionu warzywnego

farsz:
- 2 szklanki ugotowanego białego ryżu (24 dag)
- 2 cebule
- ½ pęczka koperku
- sól, pieprz, słodka i ostra papryka
- 2 łyżki oleju

Przygotować farsz. Cebule obrać, drobno posiekać i zeszklić na oleju. Wymieszać z ryżem, dodać sól, pieprz, paprykę oraz drobno posiekany koperek.

Z papryk ściąć wierzchy, oczyścić z gniazd nasiennych, napełnić farszem, przykryć wierzchami. Umieścić w naczyniu żaroodpornym, podlać bulionem. Piec ok. 45 min w piekarniku nagrzanym do temp. 180°C.

Sałatka z brązowego ryżu, pomidorów i tofu

ok. 40 min stopień trudności

- 1 szklanka brązowego ryżu (18 dag)
- 3 pomidory
- 5 dag tofu
- 10 zielonych oliwek bez pestek
- 4 łyżki posiekanej bazylii
- 2 łyżki oliwy
- 1 łyżka jasnego sosu sojowego
- sól

Ryż opłukać, osączyć, przełożyć do garnka. Wlać 1½ szklanki wody, posolić, doprowadzić do wrzenia. Gotować 20–25 min, aż ryż wchłonie wodę i będzie miękki.

Do zimnego ryżu dodać pokrojone w kostkę pomidory i tofu, połówki oliwek, bazylię, oliwę oraz sos sojowy. Sałatkę wymieszać. Schłodzić przed podaniem.

Sałatka ryżowa z groszkiem i kurczakiem

ok. 40 min stopień trudności

- 1 szklanka ryżu długoziarnistego (20 dag)
- 1 pierś z kurczaka
- 30 dag świeżego groszku
- ½ pęczka natki pietruszki
- słodka papryka, sól, czarny pieprz

sos:

- 5 łyżek jogurtu naturalnego
- 2 łyżki oliwy
- 1 łyżka soku z cytryny

Ryż ugotować wg zaleceń na opakowaniu. Pierś z kurczaka opłukać, pokroić w paski, doprawić solą, pieprzem i papryką, a następnie usmażyć na rumiano na patelni. Groszek gotować 5 min w lekko osolonej wodzie i odcedzić.

Wszystkie składniki odstawić do wystygnięcia. Następnie wrzucić do miski i wymieszać.

Przygotować sos. Połączyć składniki, polać sałatkę. Doprawić solą i pieprzem, posypać posiekaną natką pietruszki. Wymieszać.

DANIA Z MIĘSEM LUB RYBĄ

Pilaw z polędwicą

ok. 2 godz. stopień trudności

- 1 szklanka białego ryżu (19 dag)
- 40 dag polędwicy
- 2 marchewki
- 1 cebula
- 2 szklanki bulionu mięsnego
- 4 łyżki masła
- 1 łyżeczka curry
- ½ łyżeczki kolendry
- ½ łyżeczki mielonego kminku
- sól, czarny pieprz

Wołowinę umyć, osuszyć, pokroić w kostkę. W garnku rozgrzać 2 łyżki masła i zeszklić na nim posiekaną cebulę, dodać mięso i obsmażyć je ze wszystkich stron.

Wlać połowę bulionu i dusić ok. 1 godz. na małym ogniu. Dodać resztę masła, wsypać ryż i smażyć 2 min, mieszając. Dodać pokrojoną w plasterki marchewkę, curry, kolendrę i kminek, zalać resztą bulionu.

Przykryć, zmniejszyć ogień i gotować 20–25 min, aż ryż wchłonie płyn i będzie miękki. Na koniec pilaw doprawić solą i pieprzem.

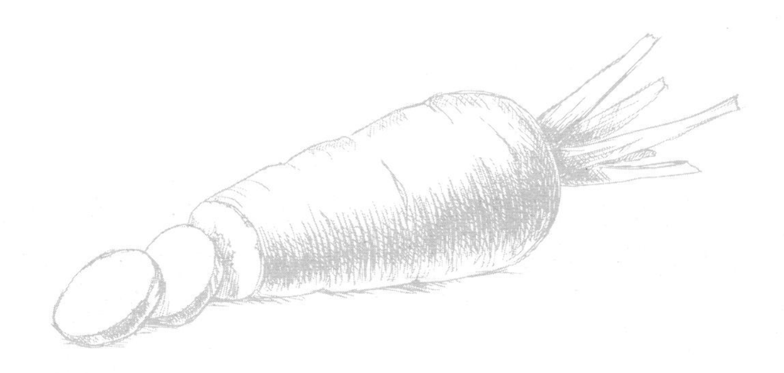

Pilaw z piersią kurczaka

ok. 1 godz. stopień trudności

- 1 szklanka białego ryżu (19 dag)
- 50 dag fileta z piersi kurczaka
- 10 dag zielonego groszku (może być mrożony)
- 2 cebule
- 3 ząbki czosnku
- 5 dag płatków migdałowych
- 2 szklanki bulionu warzywnego
- 2 liście laurowe
- ½ łyżeczki kurkumy
- ½ łyżeczki kminku
- ½ laski cynamonu
- sól, biały pieprz
- oliwa do smażenia

Cebule i czosnek obrać, posiekać i zeszklić w rondlu z grubym dnem na rozgrzanej oliwie. Mięso umyć, osuszyć, pokroić w dużą kostkę, oprószyć solą i pieprzem.

Wrzucić do rondla z cebulą i czosnkiem, obsmażyć ze wszystkich stron, mieszając. Dodać płatki migdałowe, kurkumę, kminek, cynamon, liście laurowe oraz ryż, zalać bulionem, i doprowadzić do wrzenia.

Zmniejszyć ogień, dodać groszek i dusić pod przykryciem ok. 20 min, aż bulion zostanie całkowicie wchłonięty przez ryż. Doprawić solą i pieprzem. Liście laurowe i cynamon usunąć przed podaniem.

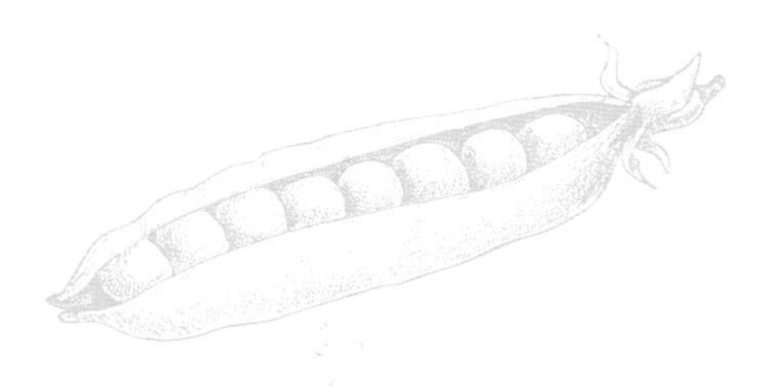

Pilaw z udźcem indyka

ok. 90 min **stopień trudności**

- 1 szklanka długoziarnistego ryżu (20 dag)
- 50 dag udźca indyka
- 2 szklanki bulionu warzywnego
- 3 marchewki
- 2 cebule
- 3 ząbki czosnku
- 3 łyżki oleju
- ziele angielskie
- liść laurowy (opcjonalnie)
- sól, czarny pieprz, kardamon, kmin rzymski

Mięso umyć, osuszyć, pokroić w kawałki, oprószyć solą i pieprzem. Obsmażyć na 1 łyżce oleju, przykryć i odstawić. Marchewki obrać, umyć i pokroić w zapałkę. Cebule i czosnek obrać, posiekać.

W rondlu o grubym dnie rozgrzać pozostały olej, wrzucić cebulę i zeszklić ją, mieszając. Dodać marchewkę, smażyć chwilę. Dorzucić czosnek i przyprawy – uważać, aby ich nie przypalić.

Ryż opłukać na sicie w zimnej wodzie i osączyć. Wrzucić do rondla i smażyć, mieszając, aż będzie szklisty. Wlać gorący bulion, doprowadzić do wrzenia, gotować na średnim ogniu pod przykryciem, aż ryż wchłonie cały płyn. Jeśli ryż po wchłonięciu bulionu będzie twardy, należy dolać trochę gorącej wody. Jeśli zaś ryż będzie już miękki, a zostanie trochę bulionu, trzeba go odlać.

Dodać kawałki mięsa, wymieszać, ewentualnie doprawić. Garnek przykryć ręcznikiem i szczelną pokrywką. Owinąć na 30 min kocem lub kołdrą. Pilaw podawać gorący w garnku.

Ryż z duszonym kurczakiem i warzywami

 **ok. 50 min** **stopień trudności**

- 1 szklanka ryżu parboiled (20 dag)
- 1 pojedynczy filet z piersi kurczaka (ok. 20 dag)
- 2 cebule
- 2 szklanki bulionu warzywnego
- 1 czerwona papryka
- 1 żółta papryka
- 1 marchewka
- ¾ szklanki zielonegogroszku (ok. 15 dag)
- 1 cukinia (ok. 25 dag)
- sól, biały pieprz, zioła prowansalskie
- oliwa do smażenia

Cebule i czosnek obrać, pokroić w kostkę, zeszklić na oliwie. Mięso umyć, osuszyć papierowym ręcznikiem, pokroić w kostkę, dodać do cebuli i czosnku, obsmażyć ze wszystkich stron. Dodać obraną i pokrojoną w paski marchewkę, obraną ze skórki i pokrojoną w kostkę cukinię, umyte i pokrojone w paseczki papryki (bez nasion), zielony groszek, szklankę bulionu i dusić razem 10–15 min. Doprawić do smaku solą, pieprzem i ziołami.

Ryż wrzucić na rozgrzaną oliwę, smażyć ok. 2 min, po czym wlać pół szklanki gorącego bulionu i wymieszać. Gdy ryż wchłonie płyn, wlać kolejną porcję bulionu i powtarzać to, aż do zużycia całego bulionu.

Gdy ryż wchłonie cały płyn i będzie miękki, przełożyć go na talerz, na wierzchu ułożyć kurczaka. Podawać z sałatą polaną sosem z 2 łyżek oliwy i 2 łyżek octu balsamicznego.

Ryż z mięsem mielonym i chili

 **ok. 50 min** **stopień trudności**

- $1\frac{1}{3}$ szklanki białego ryżu (25 dag)
- 30 dag mielonego mięsa z indyka
- 2 żółte papryczki chili
- 1 czerwona papryczka chili
- 2 cebule
- 2 ząbki czosnku
- 3 szklanki bulionu drobiowego
- 2 łyżki posiekanej bazylii
- sól, czarny pieprz, zioła prowansalskie
- olej do smażenia

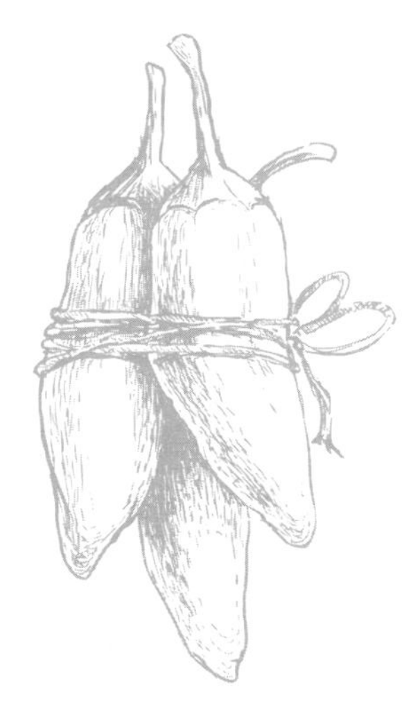

Papryczki chili umyć, oczyścić z nasion. Czerwoną pokroić w krążki, żółte w paseczki. Cebule i czosnek obrać, posiekać w piórka. Zeszklić na rozgrzanym oleju w rondlu. Dodać mięso, smażyć, mieszając, aż się zrumieni.

Wsypać ryż i smażyć ok. 3 min, mieszając, aż stanie się szklisty. Dodać żółte papryczki chili, wlać połowę gorącego bulionu i gotować na małym ogniu, od czasu do czasu mieszając. Podlać ryż pozostałym bulionem, gdy poprzednia jego porcja zostanie wchłonięta.

Ryż doprawić solą, pieprzem i ziołami prowansalskimi. Posypać bazylią i czerwoną papryczką chili.

Kurczak po hanojsku z ryżem

ok. 50 min (bez marynowania mięsa)  **stopień trudności**

- 1 szklanka białego ryżu (19 dag)
- 4 pojedyncze filety z piersi kurczaka (ok. 80 dag)
- 1 ogórek
- ½ szklanki ciemnego sosu sojowego
- ½ szklanki słodkiego sosu chili
- kilka gałązek natki pietruszki
- sól
- olej do smażenia

marynata:

- 1 łyżka oleju
- 1 cebula
- 1 łyżka imbiru
- 3-4 ząbki czosnku
- 2-3 łyżki czerwonej papryczki chili
- 2 łyżki soku z cytryny
- ¼ szklanki bulionu z kurczaka

Przygotować marynatę. Czosnek obrać, zmiażdżyć i wymieszać z pozostałymi składnikami. Mięso umyć, osuszyć papierowym ręcznikiem, natrzeć marynatą i odstawić na 3–4 godz. w chłodne miejsce, np. do lodówki.

Zamarynowane mięso osączyć, obsmażyć na rozgrzanym oleju ze wszystkich stron, a następnie przykryć i dusić 25–30 min. Zdjąć z patelni i pokroić w plastry szerokości 2 cm.

Ryż wypłukać, obsmażyć na oleju, zalać 2 szklankami osolonej wody i gotować 15–20 min, aż ryż wchłonie wodę i będzie miękki. Wyłożyć na talerz, obok ułożyć plastry kurczaka oraz umytego ogórka. Udekorować natką pietruszki. Sosy przelać do miseczek i podać do kurczaka.

Potrawka z kurczaka z dzikim ryżem

ok. 50 min stopień trudności

- 1 szklanka dzikiego ryżu (18 dag)
- 2 pojedyncze filety z piersi kurczaka (ok. 40 dag)
- 4 szklanki bulionu warzywnego
- 1 puszka ciecierzycy (ok. 30 dag)
- 1 cukinia (ok. 25 dag)
- 3 ząbki czosnku
- 2 czerwone papryki
- 1 cebula
- 5–6 pomidorków koktajlowych
- 1 łyżka posiekanej bazylii
- sól, czarny pieprz
- olej do smażenia i wysmarowania naczynia

Mięso umyć, osuszyć papierowym ręcznikiem, pokroić w kostkę, oprószyć solą, pieprzem i smażyć 2–3 min na oleju.

Cebulę obrać, pokroić w kostkę. Czosnek obrać i posiekać. Cukinię umyć, obrać, pokroić w kostkę. Z umytych papryk usunąć gniazda nasienne, miąższ pokroić w kostkę. Czosnek i cebulę zeszklić na oleju. Dodać paprykę i cukinię, smażyć razem 5–6 min, a następnie zalać bulionem i doprowadzić do wrzenia.

Ryż wypłukać, obsmażyć na oleju, wsypać do naczynia żaroodpornego, polać bulionem z warzywami, ułożyć na wierzchu osączoną z zalewy ciecierzycę i podsmażony kurczaka oraz umyte pomidorki koktajlowe i zapiekać ok. 15 min. w temp. 180°C. Posypać bazylią.

Kurczak z ryżem i orzeszkami piniowymi

ok. 1,5 godz. (bez marynowania mięsa)  stopień trudności

- 2 szklanki brązowego ryżu (36 dag)
- 1 sprawiony kurczak (ok. 1,5 kg)
- 5 dag orzeszków piniowych
- 2 łyżki masła (ok. 5 dag)
- 1 cebula
- 1 por
- 1 marchewka
- 2 łodygi selera naciowego
- 2 liście laurowe
- 6 goździków
- sól, czarny pieprz
- olej do wysmarowania naczynia

Tuszkę umyć i osuszyć papierowym ręcznikiem. Do wysokiego garnka wrzucić obrane i pokrojone w grubą kostkę warzywa, liście laurowe, goździki, pół łyżeczki soli i pół łyżeczki pieprzu. Zalać 5 szklankami wody i gotować 10 min. Wystudzić, włożyć kurczaka i odstawić na 3–4 godz. w chłodne miejsce, np. do lodówki.

Następnie osączyć kurczaka z wywaru (wywar zachować), osuszyć papierowym ręcznikiem, natrzeć z zewnątrz masłem, związać nóżki i skrzydełka. Do natłuszczonego naczynia do zapiekania wsypać ryż, ¾ uprażonych orzeszków piniowych i ułożyć na nich kurczaka piersią do góry.

Polać 4 szklankami wywaru. Piec 70–80 min w temp. 180°C, po 40 min kurczaka odwrócić. Po wyjęciu z piekarnika mięso odstawić na 10 min, a następnie pokroić i posypać resztą uprażonych orzeszków piniowych.

Paella z małżami

ok. 50 min | stopień trudności

- 1 szklanka ryżu do paelli, może być arborio (25 dag)
- 25 dag świeżych małży
- 10 dag mrożonego zielonego groszku
- 1 czerwona papryka
- 1 l bulionu warzywnego
- ½ cytryny
- sól, biały pieprz, słodka papryka
- oliwa do smażenia

Z wyszorowanej cytryny zetrzeć skórkę i wycisnąć sok. Paprykę umyć, oczyścić z gniazda nasiennego, pokroić w wąskie paski. Na głębokiej patelni rozgrzać oliwę, wrzucić ryż, smażyć 3–4 min, mieszając, aż stanie się szklisty. Dodać paprykę, wymieszać.

Całość zalać gorącym bulionem, zagotować. Dusić pod przykryciem ok. 10 min na małym ogniu, aż ryż będzie prawie miękki. Dodać małże, groszek, sok i skórkę z cytryny, dusić jeszcze ok. 6 min.

Paellę zdjąć z ognia, odstawić przykrytą na kilka minut. Usunąć muszle, które się nie otworzyły. Doprawić solą, pieprzem oraz papryką.

Jambalaya z krewetkami i chorizo

ok. 1 godz. stopień trudności

- 1¼ szklanki długoziarnistego białego ryżu (25 dag)
- 15 dag krewetek koktajlowych (mogą być mrożone)
- 15 dag kiełbasy chorizo
- 3 łodygi selera naciowego
- 1 czerwona papryka
- 2 ząbki czosnku
- 1 l bulionu warzywnego
- 1 łyżeczka słodkiej papryki
- ½ łyżeczki ostrej papryki
- sól, czarny pieprz

Mrożone krewetki przelać na sicie wrzącą wodą i odcedzić, a świeże umyć i osuszyć. Kiełbasę drobno pokroić. Seler naciowy umyć, posiekać. Paprykę umyć, oczyścić z gniazda nasiennego, pokroić w kostkę. Czosnek obrać, pokroić w plasterki.

Na rozgrzaną głęboką patelnię wrzucić kiełbasę i smażyć, aż się zrumieni. Przełożyć ją do naczynia. Na tłuszczu z kiełbasy podsmażyć, mieszając, seler naciowy, paprykę i czosnek.

Wsypać ryż, dodać słodką i ostrą paprykę, smażyć 3–4 min, mieszając, aż stanie się szklisty. Wlewać stopniowo gorący bulion. Dusić ok. 20 min, od czasu do czasu mieszając, aż ryż wchłonie cały płyn i będzie miękki.

Na koniec dołożyć krewetki i kiełbasę, wymieszać, dusić jeszcze 3–4 min. Potrawę doprawić solą i pieprzem.

Grillowany łosoś z dzikim ryżem i brokułami

ok. 1 godz. stopień trudności

- ¾ szklanki dzikiego ryżu (można zmieszać z ryżem brązowym) 10 dag
- 2 filety z łososia (po 10 dag)
- 1 brokuł
- 1 ząbek czosnku
- 1 łyżeczka świeżo zmielonego pieprzu
- 2 łyżeczki soku z cytryny
- 1 łyżeczka oliwy z oliwek
- sól morska

Ryż ugotować zgodnie ze sposobem przyrządzenia podanym na opakowaniu. Łososia umyć, doprawić świeżo zmielonym pieprzem i szczyptą soli morskiej. Piekarnik ustawić na funkcję grillowania i rozgrzać do temp. 190°C. Grillować przez 15–20 min.

Brokuł umyć, pokroić na drobne kawałki, zalać wrzątkiem i gotować 10 min. Wodę można lekko osolić, a pod koniec gotowania dodać sok z cytryny.

Ryż i brokuł odcedzić, przełożyć do salaterki. Dodać przeciśnięty przez praskę czosnek, oliwę z oliwek i wymieszać. Podawać razem z łososiem skropionym sokiem z cytryny.

Filety rybne z dynią i ryżem

ok. 30 min stopień trudności

- 1¾ szklanki ugotowanego białego ryżu (20 dag)
- 20 dag filetu z białej ryby (np. dorsza)
- 20 dag mrożonej dyni
- 2 łyżeczki świeżego tymianku
- 4 łyżki mąki pszennej
- 5 łyżek oleju
- sok z ½ cytryny
- sól, biały pieprz
- gałązki tymianku do dekoracji

Na rozgrzany wok wlać 1 łyżkę oleju i podsmażać dynię, aż się rozmrozi i podgrzeje. Przełożyć do miseczki.

Filet umyć, osuszyć, pokroić na małe kawałki, posolić i obtoczyć w mące. Na 2 łyżkach oleju smażyć połowę ryby ok. 2 min z każdej strony, aż nabierze złotego koloru. Przełożyć do miseczki i w ten sam sposób usmażyć pozostałą rybę.

W woku połączyć rybę, ryż, dynię i tymianek. Podgrzać, delikatnie mieszając, aby ryba się nie rozpadła. Doprawić solą i pieprzem.

Przed podaniem skropić sokiem z cytryny i udekorować gałązkami tymianku.

NA SŁODKO

Zupa mleczna z ryżem i morelami

ok. 40 min stopień trudności

- ½ szklanki białego ryżu (10 dag)
- 4 szklanki mleka
- 3 łyżki suszonych moreli
- 2 łyżki miodu
- szczypta cynamonu
- szczypta soli

Ryż wypłukać na sicie, osączyć, wrzucić do rondla. Zalać 1 szklanką wody, dodać sól, doprowadzić do wrzenia i gotować na małym ogniu ok. 30 min, aż ryż wchłonie wodę i się rozklei.

Miękki ryż zalać gorącym mlekiem, dodać miód i cynamon, posypać suszonymi morelami i od razu podawać.

Kokosowy **suflet ryżowy**

1 godz. stopień trudności

- ½ szklanki białego ryżu (10 dag)
- 10 dag wiórków kokosowych
- 4 jajka
- 2 czubate łyżki cukru
- 1 łyżka masła
- sól, gałka muszkatołowa
- cukier puder do wysypania formy

Zagotować 2 szklanki wody z wiórkami kokosowymi, gotować 10 min. Wiórki odcedzić przez sito wyłożone gazą, odcisnąć, wodę z gotowania zachować. Ryż gotować ok. 20 min w wodzie kokosowej, aż wchłonie cały płyn. Dodać cukier i masło, wymieszać. Lekko przestudzić.

Białka ubić ze szczyptą soli na sztywną pianę. Do wiórków kokosowych dodać żółtka oraz po szczypcie soli i gałki muszkatołowej, wymieszać. Następnie delikatnie połączyć z pianą z białek (dodawać ją porcjami).

Masę przełożyć do wysmarowanej masłem i wysypanej cukrem pudrem formy. Piec ok. 25 min w piekarniku nagrzanym do temp. 200°C (funkcja termoobieg). Przed podaniem posypać cukrem pudrem.

Ryżowa legumina czekoladowa

ok. 50 min stopień trudności

- 1 szklanka ryżu jaśminowego (19 dag)
- 2 tabliczki gorzkiej czekolady
- 1 szklanka mleka
- ⅓ szklanki śmietanki
- 4 łyżki cukru
- 1 opakowanie cukru wanilinowego
- 1 łyżka masła
- szczypta soli
- maliny, migdały i listki melisy do dekoracji

Czekoladę pokruszyć w misce, zalać gorącą śmietanką, zmiksować. Dodać masło, wymieszać, masę wystudzić.

Zagotować 2 szklanki wody z solą, wsypać ryż, gotować pod przykryciem na bardzo małym ogniu, często mieszając. Kiedy ryż wchłonie cały płyn, wlać mleko, wymieszać, przykryć i gotować na małym ogniu, aż będzie miękki. Do ryżu dodać cukier, cukier wanilinowy i masę czekoladową, wymieszać, pozostawić na kilka minut pod przykryciem.

Deser przełożyć do miseczek, ozdobić malinami, pokrojonymi w plasterki migdałami i listkami melisy. Podawać na ciepło.

Legumina ryżowa z kremem pomarańczowym

ok. 50 min  stopień trudności

- ¾ szklanki ryżu jaśminowego (15 dag)
- 2 szklanki mleka
- 1 jajko
- 2 łyżki cukru
- 1 łyżka masła
- szczypta soli
- jogurt naturalny do dekoracji

krem:
- 2 pomarańcze
- 1 cytryna
- ½ kostki masła
- 4 jajka
- ¾ szklanki cukru pudru

Zagotować 1½ szklanki wody z solą, wsypać ryż, zmniejszyć ogień i gotować pod przykryciem ok. 15 min. Odcedzić. Do drugiego garnka wlać 1½ szklanki mleka, wsypać cukier, dodać ryż i wymieszać. Gotować na małym ogniu 15–20 min.

Jajko zmiksować z pozostałym mlekiem i masłem. Mieszaninę wlać do ryżu i gotować chwilę, mieszając, do uzyskania gęstej konsystencji. Leguminę przełożyć do szklanek. Wystudzić.

Przygotować krem. Masło roztopić w kąpieli wodnej (postawić miskę na garnku z gotującą się wodą). Dodać skórkę startą z 1 pomarańczy i sok wyciśnięty z cytryny i 2 pomarańczy. Wsypać cukier puder, mieszać, aż się rozpuści. Zdjąć miskę z garnka, dodać jajka, dokładnie wymieszać składniki i ponownie umieścić miskę na garnku z wrzącą wodą. Mieszać, aż krem zgęstnieje.

Odstawić do wystudzenia. Zimną leguminę ryżową przykryć kremem pomarańczowym. Deser udekorować porcją jogurtu i od razu podawać.

Ryż
z owocami

ok. 25 min (bez schładzania) stopień trudności

- 1 szklanka białego ryżu (20 dag)
- 500 ml mleka
- 1 łyżka mąki ziemniaczanej
- 150 ml słodkiej śmietanki 36%, schłodzonej
- 5 dag cukru
- szczypta soli
- 40 dag owoców sezonowych (truskawek, czereśni)
- listki mięty, melisy, bazylii

Ryż ugotować w mleku, dodając szczyptę soli, tak by był bardzo miękki. Pod koniec gotowania dodać cukier, zagęścić mąką ziemniaczaną i gotować, aż zgęstnieje.

Wystudzić. Wymieszać z ubitą śmietanką. Schłodzić przez kilka godzin w lodówce. Udekorować owocami i ziołami.

Indeks

DANIA Z WARZYWAMI

DANIA MIĘSEM LUB RYBĄ

NA SŁODKO